DESSIN
SERGE PELLÉ

SCÉNARIO
SYLVAIN RUNBERG

ORBITAL

1. CICATRICES

DUPUIS

À Momo et Joëlle : grand merci encore !

Merci à Freddy Martin pour nos "lundi café cut",
et à toi, Vincent Froissard, pour être venu tel un Saint-Bernard
du cercle chromatique.

Serge

Un grand merci à Serge, évidemment, à Claude G., LAD, Sébastien G.
et Luc B., à Kamel « Crop », Arno « Lehard » et Sylvain pour les artworks,
à Lotta pour son soutien, ainsi qu'à l'ensemble de l'équipe Dupuis
pour le formidable travail réalisé sur ce projet.

Cet album est dédicacé à Jean-Florian.

Sylvain

Conception graphique : Franck Achard.
D.2006/0089/65 — R.1/2010.
ISBN 978-2-8001-3796-4
© Dupuis, 2006.

ÇA NE ME DIT RIEN QUI VAILLE, CE REFERENDUM !

SI LE OUI PASSE, QU'EST-CE QU'ON VA DEVENIR ?

ARRÊTE DE T'INQUIÉTER ! ON VA ENFIN POUVOIR FAIRE DE VRAIS VOYAGES STELLAIRES ! D'AILLEURS, MA GAMINE NE PARLE PLUS QUE DE ÇA !

OUAIS, JE SAIS PAS ...

ALORS, TU VAS VOTER POUR LE OUI ?

C'EST VRAI, IL Y A DÉJÀ PLUS DE 500 RACES DANS CETTE CONFÉDÉRATION !

781 EXACTEMENT : MA PETITE N'ARRÊTE PAS DE DÉLIRER LÀ-DESSUS AUSSI !

C'EST CERTAIN ! MOI, C'EST LES VIOLENCES DES ISOS QUI ME FONT PEUR, PAS LES ALIENS DE LA CONFÉDÉRATION ! ET PUIS SI JE VOTE NON, MA FILLE VA ME FAIRE UNE CRISE DE NERFS !

MES RESPECTS, COLONEL ULRICH !

BONJOUR, SERGENT ...

NOUS Y VOILÀ, LES ENFANTS : AVEC COMME PROMIS UNE VUE IMPRENABLE SUR LE DÔME OÙ SE DÉROULE LE CONGRÈS !

MERCI, HECTOR ! C'EST VRAIMENT GÉNIAL D'AVOIR ACCEPTÉ DE NOUS EMMENER ICI !

3

TOUT ÇA POUR CETTE CONFÉRENCE POURRIE ! SI MAMAN ET PAPA NOUS VOYAIENT, ILS SERAIENT FURIEUX, CALEB !

MAIS C'EST NOUS QUI ALLONS LES OBSERVER, KRISTINA ! LE DERNIER MEETING PRO-CONFÉDÉRÉ AVANT LE SCRUTIN PLANÉTAIRE, ET DANS NOTRE PROPRE VILLE EN PLUS, ON POUVAIT PAS LOUPER ÇA !

TON FRÈRE N'A PAS TORT, TU SAIS, IL Y A LÀ-BAS PLUS DE 120 000 PERSONNES VENUES DU MONDE ENTIER POUR SOU-TENIR LE OUI !

ET APRÈS TOUT, CE SONT NOS PARENTS QUI L'ORGANISENT, CE CONGRÈS !

BEN JUSTEMENT, ILS NOUS AVAIENT INTERDIT DE VENIR AUTOUR DU DÔME AUJOURD'HUI ! PAPA PENSE QUE DES ISOS POURRAIENT ESSAYER DE FAIRE UN MAUVAIS COUP POUR L'OCCASION !

ÉCOUTE, KRISTINA, VOUS ÊTES ICI EN SÉCURITÉ ET C'EST POUR ÇA QUE J'AI ACCEPTÉ DE VOUS PRENDRE AVEC MOI. ET SI VOS PARENTS VOUS CAUSENT DES PROBLÈMES, J'ASSUMERAIS LA RES-PONSABILITÉ DE VOTRE PRÉSENCE, O.K. ?

VOTRE PÈRE ET MOI NOUS SOMMES CONNUS ALORS QUE NOUS ÉTIONS À PEINE EN ÂGE DE PARLER, ALORS JE SAURAI COMMENT M'Y PRENDRE, NE T'INQUIÈTE PAS !

HUM...

JE VOUS LAISSE À VOTRE OBSERVATION, ET SI VOUS AVEZ BESOIN DE QUELQUE CHOSE, FAITES-MOI SIGNE !

GÉNIAL ! C'EST VRAIMENT SUPER !

MESDAMES, MESSIEURS, EN TANT QUE MAIRE DE PRAGUE, C'EST AVEC JOIE QUE JE VOUS ACCUEIL-LE EN CE 24 MAI 2278 POUR LA DERNIÈRE CONFÉRENCE MON-DIALE EN FAVEUR DU OUI CONFÉDÉRÉ !

MAIS JE VAIS LAISSER LA PAROLE AUX ORGANISATEURS DE L'ÉVÉNEMENT, PAVEL SWANY ET IVANKA NAJMAN, MARI ET FEMME, LINGUISTE ET ASTROPHYSICIENNE DE RENOM, CITOYENS PRAGUOIS ET SURTOUT, ARDENTS DÉFENSEURS DE L'INTÉGRATION TERRIENNE !

MERCI À VOUS, MONSIEUR LE MAIRE ! SACHEZ D'ABORD QUE NOUS SOMMES HEUREUX DE VOUS VOIR TOUS ICI, ET CE MALGRÉ LES VIOLENCES QUI ONT PERTURBÉ CETTE CAMPAGNE PLANÉTAIRE...

CETTE CAMPAGNE OÙ NOUS POURRONS DÉCIDER SI L'HUMANITÉ DOIT FAIRE PARTIE DE CETTE GRANDE CONFÉDÉRATION QUI NOUS OUVRE LES BRAS !

JE VOUS DEMANDE DE FAIRE UN TRIOMPHE À NOTRE AMI TWALIAN TOOT, VENU REPRÉSENTER LES 781 RACES QUI LA COMPOSENT ! SA PRÉSENCE PRÉFIGURE LA FUTURE ENTENTE QUI LIERA NOTRE ESPÈCE À CET ORGANISME MULTICIVILISATIONNEL VIEUX DE PLUS DE 8000 ANS !

IL EST LE SYMBOLE DE CET AVENIR D'OÙ NOUS POURRONS SORTIR GRANDIS !

EXCUSEZ-MOI, COLONEL ULRICH, MAIS QUE FONT CES GOSSES AVEC NOUS ?

CE SONT LES ENFANTS DE PAVEL SWANY, SERGENT. LE GAMIN M'A DEMANDÉ S'IL POUVAIT VENIR VOIR LA CONFÉRENCE DE L'UN DE NOS POSTES D'OBSERVATION, J'AI PRÉFÉRÉ LUI DIRE OUI...

LE CONNAISSANT, IL AURAIT DE TOUTE FAÇON ESSAYÉ DE VENIR PAR SES PROPRES MOYENS...

ALORS, AUTANT L'AVOIR À MES CÔTÉS !

GRÂCE À CES INFRA-JUMELLES ON VA VOIR CE QUI SE PASSE DANS LE DÔME COMME SI ON Y ÉTAIT ! ET AVEC CES MICROCAPTEURS, ON AURA UNE TRADUCTION EN SIMULTANÉ ! C'EST UN DIPLOMATE CONFÉDÉRÉ QUI LES A OFFERTS À PAPA !

POURQUOI ? ÇA CAUSE "CONFÉDÉRÉ" EN PLUS ?

LE SHINDAR, ÇA TE DIT QUELQUE CHOSE ?

LA NOUVELLE LANGUE MONDIALE ? UN MIX D'ARABE, D'ANGLAIS, DE CHINOIS ET DE RUSSE, C'EST ÇA ?

T'ES VRAIMENT NULLE ! C'EST PAS DU RUSSE MAIS DE L'HINDI !

ET TOUS ENSEMBLE, NOUS FERONS ÉCHEC À L'EXTRÉMISME DES ISOLATIONNISTES !

HÉ... ÇA Y EST ! JE LES VOIS ! C'EST PAPA QUI PARLE, LÀ... ON A DÛ LOUPER LE DISCOURS DE MAMAN ! REMARQUE, SA DÉCLARATION A L'AIR DE FAIRE DE L'EFFET !

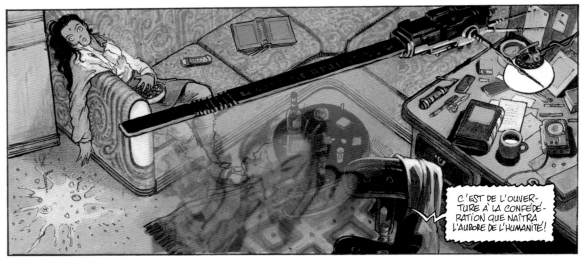

C'EST DE L'OUVERTURE À LA CONFÉDÉRATION QUE NAÎTRA L'AURORE DE L'HUMANITÉ !

DITES, LES GARS, MON DÉFRACTEUR D'ONDES NE POURRA PLUS BROUILLER LONGTEMPS LES SYSTÈMES DE SÉCURITÉ DE L'IMMEUBLE !

T'AFFOLE PAS, ENCORE TROIS CONNECTEURS ET C'EST BON !

VOILÀ, ON A TROIS MINUTES POUR DÉGUERPIR AVANT QUE LES AUTRES CONNARDS N'AILLENT TÂTER DE LA PARTICULE ÉLÉMENTAIRE !

ENCORE MERCI POUR L'APPARTE-MENT ! AVEC LA VUE QUE VOUS AVIEZ, ÇA AURAIT ÉTÉ DOMMAGE DE NE PAS EN PROFITER !

JE VEUX REDESCEN-DRE, CALEB ! J'AI PAS ENVIE DE FINIR TREMPÉE !

KRIS' ! ON VIT UN MOMENT HISTORIQUE ET TOI, TU T'IN-QUIÈTES DE LA NEIGE QUI TOMBE !

TU POURRAIS AVOIR UN PEU PLUS DE RESPECT POUR LE COMBAT QUE MÈNENT NOS PARENTS, KRISTINA !

MAIS ARRÊTEZ DE M'EMMERDER AVEC VOTRE POLITIQUE ! J'AI RIEN DEMANDÉ, MOI !

J'EN AI RIEN À FOUTRE DE CE RÉFÉRENDUM ET JE VEUX ME CASSER D'ICI !

COMMANDANT KUSID, ON ME CONFIRME L'ARRIVÉE DU DÉLIONITE VII AU QUAI 673...

EXCELLENTE NOUVELLE, LIEUTENANT! DEUX JOURS DE RETARD À CAUSE D'UNE SIMPLE TEMPÊTE MAGNÉTIQUE, C'EST DU JAMAIS VU!

IL S'EN EST FALLU DE PEU POUR QUE NOS JEUNES RECRUES RATENT LEUR ENTRÉE À L'ODI!

COMMANDANT OXAL, NOUS SOMMES POSITIONNÉS EN STATI-GRAVITÉ...

MERCI, PILOTE DIPIR! POUR ÊTRE HONNÊTE, JE NE SUIS PAS MÉCONTENT DE METTRE UN TERME À CETTE TRAVERSÉE... EN VINGT ANNÉES DE NAVIGATION STELLAIRE, JE N'AVAIS JAMAIS ÉTÉ CONFRONTÉ À PAREILLE TEMPÊTE!

VOILÀ LE SAS RÉSERVÉ AUX OFFICIELS, COMMANDANT...

BIEN. IL ME TARDE DE RÉCUPÉRER MES NOUVEAUX AGENTS!

11

NEXUL ! REGARDEZ CES DEUX HOMMES EN UNIFORME QUI ATTENDENT SUR LE PONT, CE SONT DES OFFICIERS DE L'OFFICE DIPLOMATIQUE INTERMONDIAL !

COMMENT POUVEZ-VOUS EN ÊTRE CERTAIN, ON LES DISTINGUE À PEINE ?

INTÉGRER L'ODI A LONGTEMPS ÉTÉ MON PLUS GRAND RÊVE ET CROYEZ-MOI, JE POURRAIS RECONNAÎTRE CES UNIFORMES QUELLE QUE SOIT LA DISTANCE !

BIENVENUE À VOUS ! NOUS COMMENCIONS À NOUS INQUIÉTER DE VOTRE RETARD !

C'EST APRÈS AVOIR ÉTÉ RECALÉ LORS DE LEURS PRÉSÉLECTIONS QUE JE ME SUIS RABATTU SUR UNE CARRIÈRE DE PILOTE...

ET LÀ, JE SUIS CERTAIN QUE NOUS AVONS PARMI NOS PASSAGERS UNE NOUVELLE PROMOTION VENANT INTÉGRER L'OFFICE : LEURS CÉRÉMONIES D'INTRONISATION ONT TOUJOURS LIEU SUR ORBITAL !

L'AGENT DJENOHIIAS EST LÀ, L'AGENT SHARLEK AUSSI...

EN REVANCHE, L'UN D'ENTRE VOUS MANQUE ENCORE À L'APPEL !

DE QUI S'AGIT-IL, LIEUTENANT TEDNIS ?

DE L'AGENT SWANY, UNE RECRUE ORIGINAIRE DE...?

ME VOICI, LIEUTENANT, SOYEZ SANS CRAINTE !

JE SUIS CALEB SWANY !

DÉPÊCHONS-NOUS, ALORS! VOS FUTURS PARTENAIRES DE MISSION SONT DÉJÀ ARRIVÉS IL Y A UNE SEMAINE ET VOUS AVEZ DEUX JOURS DE RETARD SUR LE PROGRAMME!

LA CÉRÉMONIE D'INTRONISATION DES BINÔMES A LIEU DANS MOINS DE QUATRE HEURES, VOUS AUREZ À PEINE LE TEMPS DE VOUS PRÉPARER!

EXCUSEZ-MOI, COMMANDANT, MAIS IL Y A QUELQUE CHOSE QUE JE NE COMPRENDS PAS...

?!

EST-CE QUE CET HUMAIN A ÉTÉ SÉLEC-TIONNÉ PAR L'OFFICE EN TANT QU'AGENT DIPLOMATIQUE? CES POSTES LEUR SONT POURTANT FORMELLEMENT INTERDITS DEPUIS LES GUERRES SANDJARRS!

AGENT SHARLEK, VOUS N'AVEZ AUCUN COMMENTAIRE À FAIRE SUR LES SÉLEC-TIONS OPÉRÉES PAR VOTRE NOUVELLE HIÉRARCHIE! EH OUI, JE VOUS CONFIRME QUE CET HUMAIN FAIT MAINTENANT PARTIE DE L'ODI, AU MÊME TITRE QUE N'IMPORTE LEQUEL D'ENTRE VOUS!

MAIS C'EST INCONCEVABLE! COMMENT UN HUMAIN POURRAIT-IL MENER À BIEN UNE MISSION DIPLOMATIQUE?!

ÇA SUFFIT, SHARLEK! ENCORE UNE REMARQUE DE CE GENRE ET VOUS ÊTES RADIÉ! MONTEZ DANS CETTE NAVETTE!

MAINTENANT!

VEUILLEZ M'EXCUSER, COMMANDANT...

ALLONS! NOUS N'AVONS PLUS DE TEMPS À PERDRE!

IL NOUS FAUT REJOINDRE AU PLUS VITE LE SIÈGE DE L'ODI!

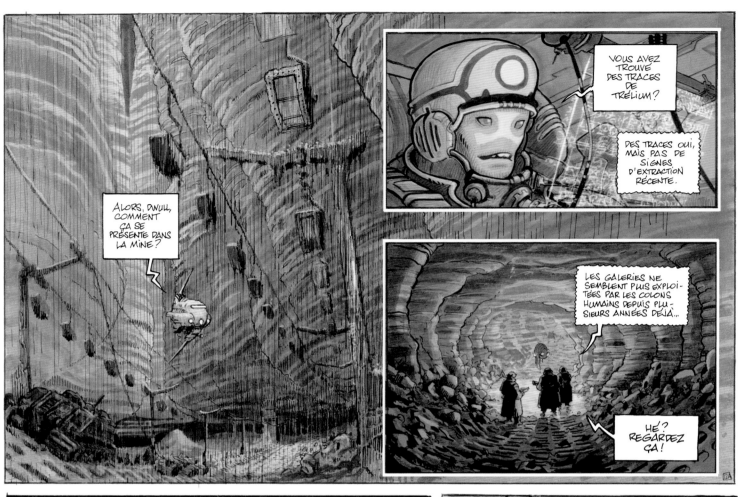

VOUS AVEZ TROUVÉ DES TRACES DE TRÉLIUM ?

DES TRACES OUI, MAIS PAS DE SIGNES D'EXTRACTION RÉCENTE.

ALORS, DWULL, COMMENT ÇA SE PRÉSENTE DANS LA MINE ?

LES GALERIES NE SEMBLENT PLUS EXPLOI-TÉES PAR LES COLONS HUMAINS DEPUIS PLU-SIEURS ANNÉES DÉJÀ...

HÉ ? REGARDEZ ÇA !

CE SONT DES ŒUFS DE STILVULLS...

CES ARTHROPODES SE NOURRISSENT DE RÉSIDUS MINÉRAUX, PAS ÉTONNANT QU'ILS SE SOIENT ÉTABLIS DANS CES MINES !

DES STILVULLS ? JE NE SAVAIS PAS QUE CES SALETÉS S'ÉTAIENT AUSSI PROPAGÉES DANS NOTRE SYSTÈME SOLAI-RE ! VOUS VOULEZ FAIRE DEMI-TOUR ?

CE NE SERA PAS NÉCESSAIRE, LIKO'D...

LES STILVULLS ADULTES MEURENT DURANT LEUR PONTE ET CES LARVES SEMBLENT FRAÎCHES, IL NE DEVRAIT PAS Y AVOIR DE DANGER...

ON CONTINUE !

ATTENDEZ ! J'AI REPÉRÉ UNE CAVITÉ DE GRANDE TAILLE AU BOUT DE CE TUNNEL...

ELLE EST ENTOURÉE DE STRUCTURES MÉTALLI-QUES, COMME S'IL S'AGISSAIT D'UNE CONSTRUC-TION ARTIFICIELLE. CE N'EST PAS NORMAL : À CETTE PROFONDEUR, IL NE DEVRAIT Y AVOIR QUE D'ANCIENNES POCHES DE TRÉLIUM...

BON, ON N'A QU'À VÉRIFIER CE QUE C'EST ET ENSUITE, ON REMONTE...

JE N'AI PAS ENVIE DE MOISIR TROP LONGTEMPS DANS CES MINES POURRIES !

POUR CEUX QUI NE ME CONNAÎTRAIENT PAS ENCORE, LAISSEZ-MOI ME PRÉSENTER...

MON NOM EST EVONA TOOT, LA DIGNITAIRE PRIMALE QUI PRÉSIDE LE DIRECTOIRE DE L'ODI...

J'ESPÈRE QUE TOUS ENSEMBLE, NOUS PERPÉTUERONS LA NOBLE TÂCHE RÉSERVÉE À L'OFFICE DEPUIS PLUS DE TRENTE SIÈCLES MAINTENANT...

PRÉSERVER PAR LA SEULE VOIE DIPLOMATIQUE L'ENTENTE ET LA PAIX AU SEIN DE NOTRE VASTE CONFÉDÉRATION.

LE PREMIER BINÔME QUE JE VAIS NOMMER REVÊT POUR NOUS, MEMBRES DU DIRECTOIRE, UNE IMPORTANCE SYMBOLIQUE TOUTE PARTICULIÈRE...

CE BINÔME MARQUE LA SUPÉRIORITÉ DES VALEURS DE PAIX SUR TOUTES FORMES DE DIVERGENCES, L'AVÈNEMENT DE L'INTELLIGENCE SUR LA HAINE, DE LA RÉCONCILIATION SUR LE CONFLIT...

QUE LES DEUX AGENTS APPELÉS VIENNENT PRONONCER LEURS VŒUX D'ALLÉGEANCE !

CALEB SWANY, CITOYEN HUMAIN CONFÉDÉRÉ, VEUILLEZ VOUS AVANCER ET PRÊTER ALLÉGEANCE !...

MÉZOKÉ IZZUA, CITOYEN-NE SANDJARR CONFÉDÉRÉ-E...

VEUILLEZ VOUS AVANCER ET PRÊTER ALLÉGEANCE !

AU NOM DES SEPT PRIMORDIAUX CONFÉDÉRÉS...

...NOUS JURONS DE SERVIR L'ODI DANS LE RESPECT DES RÈGLES QUI RÉGISSENT NOS MISSIONS.

AGENT SWANY, AGENT IZZUA, AU NOM DU DIRECTOIRE...

VOTRE BINÔME EST DÉSORMAIS SCELLÉ !

16

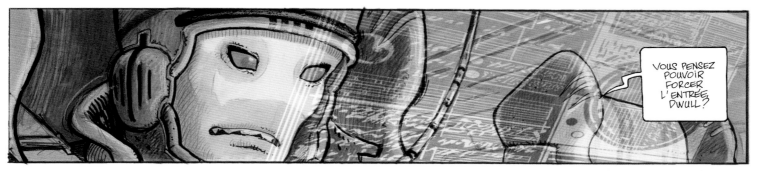

VOUS PENSEZ POUVOIR FORCER L'ENTRÉE DWULL ?

C'EST UN SAS DOTÉ D'UN CODE GÉNÉTIQUE, MAIS LE NIVEAU DE SÉCURITÉ N'EST PAS ASSEZ ÉLEVÉ POUR METTRE NOTRE DROÏDE EN DIFFICULTÉ : ON VA POUVOIR Y ENTRER SANS TROP DE PROBLÈMES !

CLAC

ÇA Y EST, LE SAS EST OUVERT !

EH BIEN, QU'EST-CE QU'IL Y A DERRIÈRE... ?

Tiiiii

C'EST BIEN CE QUE NOUS PENSIONS, LIKO'D !

DWULL ! J'AI DES ÉCHOS SUR MON RADAR ...

UNE DIZAINE DE VÉHICULES ARRIVENT DROIT SUR NOTRE POSITION !

17

CES INTEMPÉRIES ONT DÛ AFFECTER NOTRE SYSTÈME RADAR ET ILS N'ONT ÉTÉ REPÉRÉS QU'AU DERNIER MOMENT!

IL FAUT QUE VOUS REMONTIEZ IMMÉDIATEMENT!

VOUS M'ENTENDEZ EN BAS? IL FAUT REMONTER!

MAIS ON DIRAIT DES ...!

CES COLONS HUMAINS NE DOIVENT PAS SAVOIR QUI NOUS SOMMES!

DWULL ?! LA LIAISON HOLO EST COUPÉE ET ...?

SKRIIIIIIIIIK

DWULL? QU'EST-CE QUI S'EST PASSÉ? RÉPONDEZ!

?!

OH, NON!

SALETÉS D'EXTRA-TERRESTRES!

POW

POW POW

ARRÊTE DE TIRER, PEETERS! ARRÊTE!

NOTRE COLONIE VA DÉJÀ AVOIR ASSEZ D'ENNUIS COMME ÇA...

INUTILE D'EN RAJOUTER EN ABATTANT UN APPAREIL JÄVLODE!

19

DROÏD FESTIF CODE T3-TY4-24. J'AMÈNE DES PLATS FRAIS POUR LES INVITÉS DE LA RÉCEPTION CÉLÉBRANT LES NOUVEAUX BINÔMES.

ON AVAIT BIEN COMPRIS QUE CE N'ÉTAIT PAS POUR NOUS, DROÏD!

LE SCAN EST O.K. TU PEUX Y ALLER.

MERCI!

DIRE QU'ON EST EN FACTION DEPUIS PLUS DE SIX HEURES ET POUR NOUS, C'EST LIQUIDES ÉNERGÉTIQUES ET BASTA!

SI TU VOULAIS PROFITER DE LA RÉCEPTION, HUMAIN, TU N'AVAIS QU'À PASSER LES TESTS D'ADMISSION À L'ODI...

IL PARAÎT D'AILLEURS QUE L'UN DES TIENS VIENT DE RÉUSSIR CET EXPLOIT!

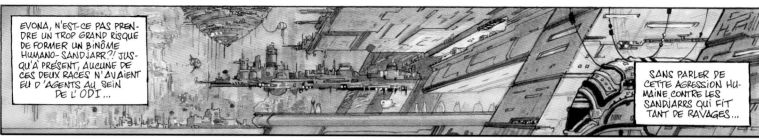

EVONA, N'EST-CE PAS PREN-DRE UN TROP GRAND RISQUE DE FORMER UN BINÔME HUMANO-SANDJARR ?! JUS-QU'À PRÉSENT, AUCUNE DE CES DEUX RACES N'AVAIENT EU D'AGENTS AU SEIN DE L'ODI...

SANS PARLER DE CETTE AGRESSION HU-MAINE CONTRE LES SANDJARRS QUI FIT TANT DE RAVAGES...

APRÈS TOUT, SEULEMENT QUINZE ANNÉES SE SONT ÉCOULÉES DEPUIS L'ATTAQUE...

VOUS SAVEZ, KLÉOKALT, IL NE FAUT PAS TOUJOURS LAISSER AU TEMPS LE SOIN DE REFERMER LES PLAIES...

LES SANDJARRS ÉTAIENT PEU NOMBREUX AVANT CETTE GUERRE, ET ILS ONT FAILLI COMPLÈTEMENT DISPARAÎTRE À CAUSE DES HUMAINS...

C'EST UN PEUPLE RARE, QUI MAL-GRÉ SA LONGUE APPARTENANCE À LA CONFÉDÉRATION, S'ÉTAIT TOUJOURS TENU À L'ÉCART DE NOS PRINCIPALES INSTANCES POLITIQUES...

CE CONFLIT EST CERTAINEMENT À L'ORIGINE DE LEUR VOLONTÉ NOUVELLE D'INTÉGRER DES ORGANISATIONS COMME L'ODI. JE CROIS QUE C'ÉTAIT LE BON MOMENT POUR CRÉER UN TEL BINÔME ET JE SUIS SÛRE QUE L'AVE-NIR NOUS DONNERA RAISON !

À CE PROPOS, SAVEZ-VOUS QUE LES PARENTS DE CE CALEB SWANY ONT ÉTÉ TUÉS PAR DES HUMAINS HOSTILES À LA CONFÉDÉRATION ?

L'ATTENTAT FIT DES MILLIERS DE VICTIMES, ET COÏNCIDENCE ÉTRANGE, L'AMBASSADEUR REPRÉSENTANT LA CONFÉDÉRATION ÉTAIT L'UN DE MES COUSINIDES...

QUELQUE PART, CALEB SWANY ET MOI AVONS UN DEUIL EN COMMUN.

FÉLICITATIONS POUR TA PROMOTION, MON GARS ! UN HUMAIN À L'ODI, ÇA NOUS CHANGE DES POSTES POURRIS QUE LES CONFS' NOUS RÉSERVENT D'HABITUDE !

MERCI. COMME QUOI, TOUT EST POSSIBLE, N'EST-CE PAS ?

TOUT EST POSSIBLE ? J'Y CROIS PAS ENCORE À ÇA !

JUSQU'À PRÉSENT, UN HUMAIN SUR ORBITAL, ÇA POUVAIT AU MIEUX SE RE-TROUVER BARMAN À DIRIGER DES DROIDS ! OU AFFECTÉ À LA SÉCURITÉ, POUR LES PLUS COSTAUDS !

ET MÊME AVEC CE QUI T'ARRIVE, JE CROIS QU'AU FOND, C'EST PAS PRÈS DE CHANGER !

D'AILLEURS, TU N'AS PAS L'AIR DE FAIRE L'UNANI-MITÉ AUPRÈS DE TES NOU-VEAUX COPAINS, PAS VRAI ?

ILS S'Y HABITUERONT...

DE TON CÔTÉ, J'AI L'IMPRESSION QUE TU FAIS L'IMPASSE SUR LES AVANTAGES DE NOTRE INTÉGRATION.

LA TERRE A LARGEMENT BÉNÉ-FICIÉ DE LA TECHNOLOGIE CONFÉ-DÉRÉE : DES SIÈCLES DE POLLUTION HUMAINE RÉSORBÉS EN QUELQUES ANNÉES, C'EST UN PROGRÈS, NON ?

OUAIS ! SI C'ÉTAIT POUR FINIR SOUS-MERDES AU SERVICE DES MARTIENS, VALAIT PEUT-ÊTRE MIEUX RESTER DANS NOTRE CRASSE !

ET PUIS JE SUPPORTE PAS L'IDÉE D'AVOIR LEUR SALETÉ D'IM-PLANTS TRADUCTEURS INCRUSTÉS DANS LE CIBOULOT !

ENFIN, SAUF SI C'EST POUR CONVERSER AVEC CERTAINES DE LEURS MIGNONNES...

C'EST BIEN TA PARTENAIRE DE BINÔME QUI SQUATTE DEVANT LES AQUARIUMS, N'EST-CE PAS ?

HUM...

22

PARCE QUE TU VOIS, AUTANT LES ALIENS JE PEUX PAS ME LES SENTIR EN GÉNÉRAL...

AUTANT LA TIENNE, JE ME LA COINCERAIS BIEN EN PARTICULIER!

MÊME S'ILS SONT DIVISÉS ENTRE MÂLES ET FEMELLES, LEURS APPARENCES PHYSIQUES NE NOUS SONT D'AUCUNE AIDE POUR LES IDENTIFIER SEXUELLEMENT.

TROP ALÉATOIRE.

AVOUE QUE ÇA T'A TRAVERSÉ L'ESPRIT, HEIN MON POTO ?

TU CONNAIS BIEN MAL LES SANDJARRS, L'AMI...

ET COMME LEUR CULTURE N'ACCORDE AUCUNE IMPORTANCE AU SEXE DANS LES RAPPORTS SOCIAUX...

DÉVOILER SON APPARTENANCE SEXUELLE À UN NON-SANDJARR EST CONSIDÉRÉ CHEZ EUX COMME UNE ATTEINTE À LEUR INTÉGRITÉ INDIVIDUELLE, UN NON-SENS DIFFAMANT.

ATTENDS, JE COMPRENDS PAS, LÀ... T'ES EN TRAIN DE ME DIRE QU'EN FAIT, C'EST UN MEC, TON ALIEN ?...

JE SUIS EN TRAIN DE TE DIRE QUE JE N'EN SAIS RIEN...

ET QUE JE NE SUIS PAS PRÈS DE LE SAVOIR !

CECI SERA VOTRE DERNIER ENTRAÎNEMENT DURANT CETTE PÉRIODE TRANSITIONNELLE !

LE RESTE DE VOS CAMARADES AYANT ÉTÉ AFFECTÉS À LEURS PREMIÈRES MISSIONS SANS AVOIR PU Y ÊTRE CONFRONTÉS...

JE VOUS DEMANDE DE CONSIDÉRER CET EXERCICE COMME UN PRIVILÈGE !

CES MAGNÉTOPODS VONT VOUS PERMETTRE DE TESTER VOS CAPACITÉS RÉFLEXES EN SITUATION DE DÉPLACEMENTS RAPIDES.

CE COULOIR SERA VOTRE TERRAIN DE MISSION...

VOTRE OBJECTIF, LE PARCOURIR AU PLUS VITE EN ÉVITANT LES MINES ANTI-G, QUI Y SONT DISSÉMINÉES...

CES MINES SONT NON-OFFENSIVES, ÉVIDEMMENT.

TROIS JOURS, QUE NOUS SOMMES ARRIVÉS SUR ORBITAL ET TU NE M'AS PAS ENCORE ADRESSÉ LA PAROLE, MÉZOKE...

EN PÉRIODE D'ENTRAÎNEMENT, C'EST PEUT-ÊTRE GÉRABLE. MAIS EN MISSION, IL VA BIEN FALLOIR COMMUNIQUER !

BIEN.

JE N'INSISTE PAS.

24

ARG!

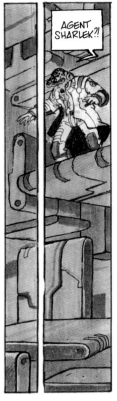

AGENT SHARLEK?!

PLOMG

VOUS AVEZ PERDU LA TÊTE, SWANY ?!

QU'EST-CE QUE VOUS RACONTEZ?

JE VOUS AI DEMANDÉ DE RÉUSSIR UN PARCOURS, PAS D'AGRESSER VOS CAMARADES !

MAIS C'EST LUI QUI M'A FONCÉ DESSUS !

JE VOUS CONSEILLE DE CHANGER DE TON AVEC MOI !

IL A POURTANT RAISON, ENTRAÎNEUR SHIRUIL !

SHARLEK A ATTAQUÉ EN PREMIER...

C'EST MOI QUI AI ALERTÉ L'AGENT SWANY AFIN QU'IL PUISSE ESQUIVER !

COMMENT PEUX-TU DÉFENDRE CEUX QUI ONT AGRESSÉ TON PEUPLE ?!

26

AURAIS-TU OUBLIÉ QU'UN AGENT DIPLOMATIQUE EST TENU À LA SOLIDARITÉ AVEC CEUX DE SON RANG ?

ET QUANT À CE QUE MON PEUPLE A PU SUBIR PAR LE PASSÉ...

LAISSE AUX SANDJARRS LE SOIN DE S'EN PRÉOCCUPER !

ÇA SUFFIT !

L'ENTRAÎNEMENT EST SUSPENDU ET JE NE VEUX PLUS ENTENDRE PARLER DE CET INCIDENT !

DIRE QUE CES PARASITES TERRIENS N'ÉTAIENT MÊME PAS CAPABLES DE SORTIR DE LEUR SYSTÈME SOLAIRE AVANT DE NOUS REJOINDRE !

JE NE LES AIME PAS PLUS QUE TOI, SHARLEK, MAIS IL FAUT RESPECTER LES DÉCISIONS CONFÉDÉRÉES...

MERCI POUR TON AIDE, MÉZOKÉ...

AGENTS IZZUA ET SWANY ?

JE SUIS LE COLONEL KARLUS DOMANN, 1ᵉ DIVISION TERRIENNE DE L'ARMÉE CONFÉDÉRÉE.

LE DIRECTOIRE M'A CHARGÉ DE VOUS REMETTRE VOS HOLOCUBES DIPLOMATIQUES.

TOUTES LES DONNÉES CONCERNANT VOTRE PREMIÈRE MISSION Y ONT ÉTÉ INTÉGRÉES, CONSULTABLES UNIQUEMENT APRÈS AVOIR QUITTÉ ORBITAL, COMME LE VEUT LA PROCÉDURE.

C'EST MOI QUI SERAI CHARGÉ DE VOTRE RENFORT LOGISTIQUE DURANT CETTE OPÉRATION. UN TRANSPORTEUR STELLAIRE NOUS ATTEND DÉJÀ.

NOUS DEVONS ÊTRE PARTIS DANS TROIS HEURES AU PLUS TARD!

VOICI LE COMMANDO D'ÉLITE "ESPÉRANCE"... CES HOMMES SONT ISSUS DES MEILLEURES SECTIONS HUMAINES DE L'ARMÉE CONFÉRÉE...

ILS SERONT PLACÉS DIRECTEMENT SOUS MES ORDRES ET AFFECTÉS À VOTRE SÉCURITÉ DURANT CETTE MISSION!

EN QUOI UNE MISSION DIPLOMATIQUE DE L'ODI NÉCESSITE UNE TELLE UNITÉ DE COMBAT, COLONEL?

NE VOUS INQUIÉTEZ PAS...

ILS SAURONT RESTER EN RETRAIT ET N'INTERVIENDRONT QUE SI NOS VIES VENAIENT À ÊTRE MENACÉES!

MAIS JE VOUS PROPOSE DE MONTER À BORD SI NOUS VOULONS RESPECTER NOS HORAIRES DE VOL!

DIRE QUE PLUS DE 300 MILLIONS D'INDIVIDUS VIVENT DERRIÈRE CES PORTES CROP...

LA MISE EN PRATIQUE DE NOTRE BONNE VIEILLE THÉORIE DES CORDES!

OUVRIR UNE BRÈCHE SUR UN AUTRE ESPACE-TEMPS ET Y CONSTRUIRE UNE IMMENSE CITÉ-SATELLITE...

LE CENTRE DU POUVOIR CONFÉDÉRÉ AINSI MIS À L'ABRI DES SOUBRESAUTS DE L'UNIVERS...

C'EST FASCINANT, AGENT SWANY, MAIS NOUS DEVONS NOUS RENDRE DANS L'ALCÔVE DE PILOTAGE...

VOUS POURREZ Y CONNECTER VOS HOLOCUBES ET CE SERA L'OCCASION DE RENCONTRER NOTRE PILOTE!

REGARDEZ CETTE TEXTURE SUR LES PAROIS. ON DIRAIT UNE ÉPONGE CÉRÉBRALE UDHSÉMIENNE...

CE VAISSEAU SERAIT UN NÉVRONOME? UN VAISSEAU VIVANT?!

JE N'EN SAIS PAS PLUS QUE VOUS, CET ENGIN NOUS A ÉTÉ AFFECTÉ À LA DERNIÈRE MINUTE...

MAIS LES NÉVRONOMES ONT ÉTÉ BANNIS DE LA CONFÉDÉRATION VOICI PLUSIEURS DÉCENNIES?

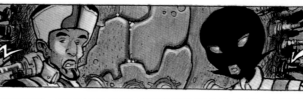

EXACT, AGENT IZZUA!

BANNIS OU DÉTRUITS DEPUIS QUE CERTAINS D'ENTRE EUX SE SUICI-DÈRENT SANS RAISON APPARENTE, TUANT AVEC EUX LEURS ÉQUIPAGES!

MAIS MÊME SI CE PLASMA SPON-GIEUX A BIEN ÉTÉ CULTIVÉ SUR UDHSEM, MON VAISSEAU N'EST QU'UN SEMI-AUTONOME.

IL NE FAIT QUE RÉAGIR À MES IMPULSIONS CÉRÉBRALES, AFFINANT MES DÉCISIONS DE PILOTAGE, ANTICIPANT MES MANŒUVRES...

JE L'AI PRÉNOMMÉ ANGUS. POUR LA FORME.

ET JE SUIS NINA LIEBERT, PILOTE STELLAIRE, À VOTRE SERVICE!

COMMENT POUVEZ-VOUS ÊTRE PILOTE?

À MON ÂGE?

C'EST SIMPLE...

J'AI INTÉGRÉ LE SYSTÈME CONFÉDÉRÉ BIEN AVANT L'ADMISSION OFFICIELLE DE LA TERRE!

VOUS ÊTES UNE EXTRACTÉE, C'EST BIEN ÇA?

HUM... CELA REMONTE À L'ÉTÉ 2256 : J'AVAIS TRENTE ANS, J'HABITAIS BERLIN ET JE M'Y ENNUYAIS FERME!

DES SCIENTIFIQUES WELBU'RR EN DÉSACCORD AVEC LES RÈGLES CONFÉDÉRÉES PROHIBANT L'INTRODUCTION D'ÊTRES NON-MEMBRES M'ONT CONTACTÉE...

COMME DES MILLIERS D'AUTRES HUMAINS AVANT MOI, JE SUIS PARTIE AVEC EUX, QUITTANT DÉFINITIVEMENT NOTRE BONNE VIEILLE PLANÈTE.

EN ÉCHANGE D'EXAMENS BIOLOGIQUES, ILS ME PERMIRENT DE VIVRE CLANDESTINEMENT DANS LEUR SYSTÈME PENDANT PLUS DE VINGT ANS, JUSQU'À L'INTÉGRATION DE NOTRE PLANÈTE DANS LA CONFÉDÉRATION.

CROYEZ-MOI, J'AI EU TOUT LE TEMPS DE PARFAIRE MA TECHNIQUE DE PILOTAGE STELLAIRE!

JE VOUS MÈNERAI SANS PROBLÈME À DESTINATION!

LE GOUVERNEMENT D'UPSALL REPRÉSENTANT LE PEUPLE JÄVLODE NOUS A CONTACTÉS AFIN DE PRÉVENIR UN CONFLIT IMPLIQUANT UNE COLONIE HUMAINE INSTALLÉE SUR SENESTAM.

LES ORIGINES DU CONFLIT REMONTENT AU RÉFÉRENDUM D'INTÉGRATION TERRIEN, PÉRIODE OÙ LES VIOLENCES ISOLATIONNISTES CONNURENT LEUR APOGÉE. EFFRAYÉS PAR CES CRIMES, LES HUMAINS RÉPONDIRENT POSITIVEMENT À L'INTÉGRATION CONFÉDÉRÉE.

MAIS DEUX ANS PLUS TARD, LES ISOLATIONNISTES RAVIRENT LA MAJORITÉ GOUVERNEMENTALE AUX ÉLECTIONS CENTRALES TERRIENNES. ET LA SITUATION DÉGÉNÉRA DE NOUVEAU. EN TANT QUE MEMBRE CONFÉDÉRÉ, LA TERRE ACCÉDA À NOS MODÈLES TECHNOLOGIQUES, PERMETTANT À LEURS ÉQUIPAGES DE SE DÉPLACER SUR DE TRÈS LONGUES DISTANCES INTERSTELLAIRES.

LES FORCES ISOLATIONNISTES ENTREPRIRENT L'EXPLOITATION DE ZONES PLANÉTAIRES SITUÉES DANS LE PÉRIMÈTRE SANDJARR, AFIN D'ACCROÎTRE LEUR INDÉPENDANCE ÉNERGÉTIQUE... ILS Y INSTALLÈRENT LEURS ÉQUIPES MILITARO-MINIÈRES EN TOUTE ILLÉGALITÉ.

TRÈS VITE, LES SANDJARRS PORTÈRENT PLAINTE DEVANT LE CONSEIL CONFÉDÉRÉ, QUI DEMANDA AUX AUTORITÉS TERRIENNES DE SE RETIRER DES ZONES CONCERNÉES. EN VAIN.

DES TROUPES HUMAINES ATTAQUÈRENT LES CITÉS SANDJARRS PROCHES DES ZONES D'EXPLOITATION, CONVAINCUES QUE LE PACIFISME PRÔNÉ PAR LA CONFÉDÉRATION LES PROTÈGERAIT D'UNE RIPOSTE ARMÉE.
CES ATTAQUES FÉLONNES FIRENT DES DIZAINES DE MILLIERS DE VICTIMES CHEZ LES SANDJARRS, LES MENAÇANT D'EXTINCTION.

FACE À CES ENTRAVES À NOS FONDAMENTAUX, LES FORCES CONFÉDÉRÉES RIPOSTÈRENT, OBLIGEANT LES TROUPES HUMAINES À SE RETIRER DE LA ZONE SANDJARR.

LES MEMBRES DU GOUVERNEMENT ISOLATIONNISTE FURENT MIS AUX ARRÊTS, REMPLACÉS PAR UNE COALITION PRO-CONFÉDÉRÉE. LES HUMAINS ÉVITÈRENT DE PEU L'ÉVICTION DÉFINITIVE ET DES MESURES DE RÉTORSION FURENT PRISES À LEUR ENCONTRE, LEUR INTERDISANT L'ACCÈS À DES ORGANISMES COMME L'ODI... DES MESURES QUI, COMME VOUS LE SAVEZ, VIENNENT À PEINE D'ÊTRE LEVÉES.

MAIS DANS LA ZONE SANDJARR, DES VAISSEAUX MINÉRALIERS HUMAINS, ENDOMMAGÉS DURANT LES COMBATS, S'ÉTAIENT RETROUVÉS DANS L'INCAPACITÉ TECHNIQUE DE REVENIR SUR TERRE. ABANDONNÉS PAR LE GOUVERNEMENT HUMAIN, IGNORÉS PAR LA CONFÉDÉRATION, ILS TROUVÈRENT REFUGE SUR L'UNE DES LUNES D'UPSALL, SENESTAM.

LES JÄVLODES NE VOYANT AUCUNE UTILITÉ À CE SATELLITE AU CLIMAT HOSTILE, CES RÉFUGIÉS PURENT S'Y INSTALLER SANS DIFFICULTÉ. OR, LES COLONS N'AVAIENT PAS CHOISI CETTE LUNE AU HASARD. ILS Y AVAIENT DÉTECTÉ UNE FORTE PRÉSENCE DE TRÉLIUM, UN MINERAI CONVERTIBLE EN CARBURANT POUR CERTAINS VAISSEAUX STELLAIRES.

ILS COMMENCÈRENT À FORER LE SOUS-SOL DE SENESTAM ET RAPIDEMENT, LE COMMERCE DU TRÉLIUM S'ORGANISA.

JUSQU'IL Y A QUELQUES MOIS, LES JÄVLODES NE S'EN ÉTAIENT JAMAIS PLAINT. PROFITANT D'UNE ÉPIZOOTIE FULGURANTE QUI A RUINÉ DE NOMBREUX ÉLEVEURS D'UPSALL, UNE COALITION HOSTILE AU GOUVERNEMENT EN PLACE L'A INTERPELLÉ, LUI DEMANDANT QUE LES HUMAINS REVERSENT LEURS GAINS AUX AUTORITÉS D'UPSALL.

LA POPULATION JÄVLODE SE FAISANT DE PLUS EN PLUS RÉCEPTIVE À CES ARGUMENTS, LE GOUVERNEMENT DÉCIDA D'ENVOYER UNE DE SES ÉQUIPES SUR SENESTAM AFIN DE FAIRE LE POINT SUR LA SITUATION. DES QUATRE PILOTES QUI PARTIRENT EN MISSION, UN SEUL REVINT EN VIE.

VOTRE OBJECTIF EST DOUBLE : DÉCOUVRIR CE QUI EST ARRIVÉ À CES PILOTES ET AIDER À TROUVER UN COMPROMIS ENTRE LES JÄVLOPES ET CES COLONS HUMAINS. PLUSIEURS PLANÈTES HUMANO-COMPATIBLES SONT PRÊTES À LES ACCUEILLIR, IL Y A DONC DE RÉELLES CHANCES D'ÉVITER UN CONFLIT. NOUS VOUS COMMUNIQUERONS EN TEMPS RÉEL OÙ EN SONT LES TRANSACTIONS À CE PROPOS.

BONNE CHANCE POUR L'ACCOMPLISSEMENT DE VOTRE TÂCHE. SESSION HOLO TERMINÉE.

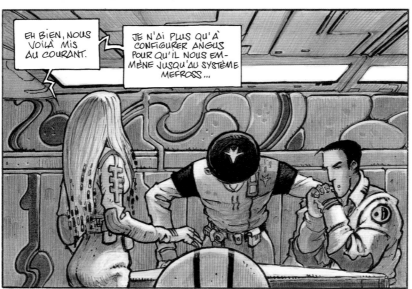

EH BIEN, NOUS VOILÀ MIS AU COURANT.

JE N'AI PLUS QU'À CONFIGURER ANGUS POUR QU'IL NOUS EMMÈNE JUSQU'AU SYSTÈME MEFROSS...

JE NE COMPRENDS PAS LE DIRECTOIRE : POURQUOI DÉPÊCHER UN SANDJARR SUR UNE TELLE MISSION ?!

LES COLONS VONT PRENDRE ÇA POUR DE LA PROVOCATION !

J'IMAGINE QU'IL S'AGIT DE PROUVER QUE LES FONDAMENTAUX CONFÉDÉRÉS SONT AU-DESSUS DE TOUT ANTAGONISME LOCAL.

MAIS JE SUIS D'ACCORD AVEC VOUS SUR UN POINT...

CETTE PREMIÈRE MISSION M'A TOUT L'AIR D'ÊTRE UN VÉRITABLE BAPTÊME DU FEU !

34

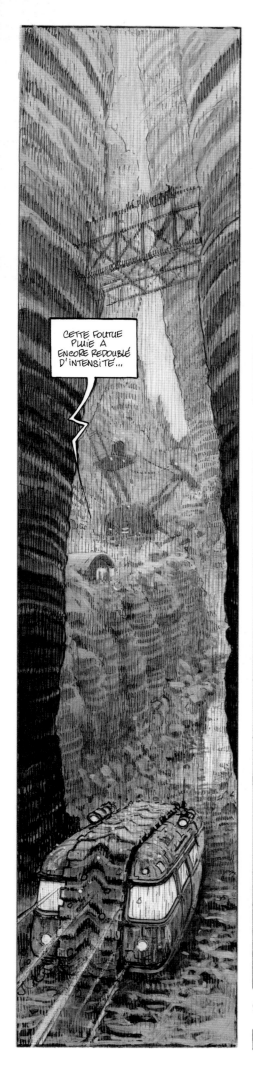

JORAN ET LOWIE SONT RESTÉS BLOQUÉS DANS L'ASCENSEUR !

ÉCOUTEZ ! ILS SONT VIVANTS !

HARRR

AMENEZ LA PERFOREUSE LASER ! ET QU'ON PRÉPARE UN VÉHICULE POUR LES TRANSPORTER À SHIREBRUK ! VITE !

C'EST LA QUATRIÈME FOIS EN DEUX MOIS... PUTAIN !

BIP BIP

HAAAA...

TENEZ BON LES GARS, ON S'OCCUPE DE VOUS.

GRÉGOR, JE VIENS D'AVOIR UN MESSAGE DE L'ASTROPORT.

HUMMM ...

DES ENVOYÉS DE L'ODI SONT EN APPROCHE... ILS VEULENT TE RENCONTRER ...

C'EST À PROPOS DES JÄVLODES.

REGARDEZ CES COURAGEUX ÉMISSAIRES CONFÉDÉRÉS...

VENIR TRAÎNER LEURS JOLIES COMBINAISONS TOUTES NEUVES DANS LA BOUE DE SENESTAM, FALLAIT OSER !

HA HA HA HA

BONJOUR, JE SUIS KIM VANDERSEEL !

C'EST MOI QUI SUIS CHARGÉE DE VOUS MENER AU CONSEIL DE LA COLONIE...

TRÈS AIMABLE À EUX !

NOS TECHNICIENS PRENDRONT SOIN DE VOTRE NAVETTE QUI RESTERA ICI, À L'ABRI DES INTEMPÉRIES...

NOTRE CITÉ N'EST QU'À UNE DIZAINE DE KILOMÈTRES DE L'ASTROPORT...

NOUS Y SERONS EN PEU DE TEMPS !

TOUT EST EN ORDRE AVEC LEURS BIO-CAPTEURS ?

AUCUN SOUCI. CONTACTS AUDIO ET THERMO EXCELLENTS. ILS SE DIRIGENT VERS SHIRE-BRUK, LA CAPITALE DE SENESTAM.

BIEN. IL N'Y A PLUS QU'À ESPÉRER QUE TOUT SE DÉROULE SANS ENCOMBRE !

?

FRANCHEMENT, J'AIMERAIS VRAIMENT PAS ÊTRE À LA PLACE DU TYPE DE L'ODI...

DEVOIR SE COLTINER UN ALIEN DONT ON NE SAIT PAS S'IL VA VOUS SERRER LA MAIN OU VOUS LA METTRE AU PAQUET...

SERGENT MOORE ?

PUISQUE C'EST LA PREMIÈRE MISSION QUE VOUS EFFECTUEZ DANS MON ÉQUIPE, SACHEZ QUE DE TELS PROPOS N'Y SONT PAS TOLÉRÉS...

VOUS ÊTES CONSIGNÉ DANS VOTRE ALCÔVE JUSQU'À NOUVEL ORDRE !

HEU... À VOS ORDRES, COLONEL ! JE SUIS DÉSOLÉ...

DES PROBLÈMES DE DISCIPLINE, COLONEL KARLUS ?

LE PRINCIPAL AVEC LES PROBLÈMES, NINA, C'EST DE LES RÉSOUDRE.

VOICI LES FAUBOURGS DE SHIREBRUK...

C'EST ICI QUE SONT CONCENTRÉES NOS RAFFINE-RIES DE TRÉLIUM...

UNE FOIS TRAITÉ, LE MINERAI EST ENTREPOSÉ DANS LES RÉSERVES SI-TUÉES PRÈS DE L'ASTRO-PORT, OÙ LES VAISSEAUX-CARGOS DE NOS CLIENTS N'ONT PLUS QU'À LE CHARGER...

MAIS VOUS, KIM, VOUS TRAVAILLEZ AUSSI DANS LE TRÉLIUM ?

ET VU LE NOMBRE D'ACCIDENTS LIÉS À L'ACTIVITÉ MINIÈRE...

EN QUELQUE SORTE. AYANT UNE FORMATION DE MICRO-CHIRURGIENNE, J'AI ÉTÉ NOMMÉE À LA TÊTE DU MÉDICENTRE DE SHIREBRUK...

ON PEUT DIRE QUE J'ŒUVRE DANS LE SECTEUR !

MES AMIS, REGARDEZ COMME MUNLLASH SEMBLE REVIVRE À L'AUNE DES CHANGEMENTS QUI S'ANNONCENT...

JAMAIS NOTRE CAPITALE NE M'EST APPARUE AUSSI RAYONNANTE!

ENTENDRE LA CLAMEUR DE NOS PARTISANS QUI ENTOURENT LE PARLEMENT NE FAIT QUE RENFORCER CET ÉCLAT...

LA COLÈRE RONDE NE CESSE DE GAGNER DU TERRAIN: LE SÉNÉCHAL DU COMTÉ DE MY'RALL VIENT DE REJOINDRE NOTRE MOUVEMENT AU NOM DE SA PROVINCE...

ENCORE QUELQUES RALLIEMENTS ET C'EST LA MAJORITÉ DES SÉNÉCHAUX D'UPSALL QUI SERA À NOS CÔTES!

CROYEZ-MOI, LE PEUPLE JAVLODE NOUS SAURA GRÉ DE LUI AVOIR RENDU CE QUI LUI APPARTIENT...

SCHWIGO MORRS ET SA CLIQUE N'AURONT PLUS QU'À RAMPER À NOS PIEDS POUR QUÉMANDER LA CLÉMENCE !

SÉNÉCHAL WOOL, ON ME SIGNALE UN APPEL HOLO DE CLASSE 1 DANS VOS APPARTEMENTS...

TIENS DONC...

Y AURAIT-IL DES NOUVELLES EN PROVENANCE D'ORBITAL ?

MERCI D'AVOIR RÉPONDU AUSSI RAPIDEMENT À MON APPEL, SENZER WOOL !

EKKLHID, LES LIENS QUI UNISSENT LES MIENS AUX ACHÉRODES COMMANDENT LA PROMPTITUDE !

ET CE QUE J'AI À VOUS ANNONCER NE FERA QUE LE CONFIRMER...

EVONA TOOT VIENT DE MANDATER DEUX AGENTS DIPLOMATES POUR PROCÉDER À UN RÈGLEMENT PACIFIQUE DU CONFLIT...

ET QUAND CES AGENTS DOIVENT-ILS ARRIVER ICI ?

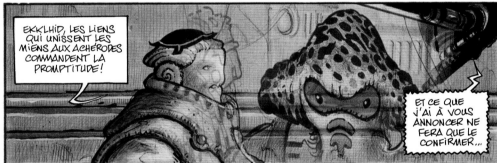

NOUS VENONS D'APPRENDRE QUE LE DIRECTOIRE A DÉCIDÉ D'INTERVENIR DANS LES AFFAIRES QUI NOUS CONCERNENT ET CE À LA DEMANDE DE VOTRE SÉNÉCHAL PREMIER, SCHWIGO MORRS !

ILS SONT DÉJÀ SUR SENESTAM ET L'UN D'EUX NE DEVRAIT PAS TARDER À VENIR SUR UPSSAL POUR RENCONTRER LE SÉNÉCHAL MORRS...

CETTE VERMINE N'AURA PAS PERDU DE TEMPS !

41

À VRAI DIRE, NOUS PENSONS QUE L'INTERVENTION DE L'ODI POURRAIT ÊTRE UNE AUBAINE SI NOUS SAVONS BIEN EN JOUER...

LES COLONS DE SENESTAM NE DEVRAIENT PAS SE MONTRER TRÈS COOPÉRATIFS À LEUR ENCONTRE ET L'ÉCHEC D'UNE TELLE MISSION DIPLOMATIQUE POURRAIT ACCÉLÉRER LE PROCESSUS POUR LEQUEL NOUS ŒUVRONS...

RESTEZ DONC SUR VOS GARDES MAIS SOYEZ CONFIANTS...

JE RESTE PERSUADÉ QUE NOUS SOMMES PROCHES DE LA VICTOIRE!

ILS ARRIVENT, GRÉGOR...

J'AI VU.

ON LES DESCEND TOUT DE SUITE OU ON ATTEND QU'ILS SOIENT ENTRÉS DANS LE BÂTIMENT DU CONSEIL?

ALLONS, MARTUS, BAISSE CETTE ARME...

LAISSONS D'ABORD GRÉGOR ESSAYER DE LES CONVAINCRE DE NOTRE BON DROIT!

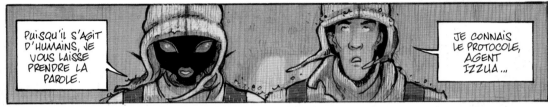

LE GOUVERNEMENT D'UPSALL NOUS A DEMANDÉ D'ENQUÊTER SUR LES CIRCONSTANCES DU DÉCÈS DE TROIS DE LEURS PILOTES SUR SENESTAM...

VOUS SAVEZ ÉGALEMENT QUE VOTRE INSTALLATION SUR CETTE LUNE N'AYANT JAMAIS FAIT L'OBJET D'UNE AUTORISATION OFFICIELLE DES AUTORITÉS JÄVLODES, ELLES SONT EN DROIT DE RÉCLAMER VOTRE DÉPART...

NOUS AVONS DONC UNE PREMIÈRE PROPOSITION À VOUS FAIRE SUR CE POINT...

VAS-Y, ACTIVE LE BROUILLEUR SONIQUE...

C'EST PARTI !

L'ODI A DÉJÀ OBTENU L'ACCORD DE CINQ PLANÈTES HUMANO-COMPATIBLES ACCEPTANT DE VOUS ACCUEILLIR, VOUS OFFRANT AINSI DE BIEN MEILLEURES CONDITIONS DE VIE QUE... ?

INUTILE D'EN DIRE D'AVANTAGE, AGENT SWANY.

AVANT VOTRE VENUE, LES JÄVLODES NE SE SOUCIAIENT AUCUNEMENT DE CETTE LUNE ET DE SES RÉSERVES DE TRÉLIUM !

DES CENTAINES D'ENTRE NOUS SONT MORTS DANS CES MINES ET SANS NOTRE ACHARNEMENT, PAS UN GRAMME DE CE MINERAI NE SERAIT SORTI DE CE SOL, ALORS COMPRENEZ BIEN UNE CHOSE...

JAMAIS NOUS NE PARTIRONS D'ICI !

JE VOUS PROPOSE D'ÉCOUTER L'ENSEMBLE DE NOS PROPOSITIONS, CONSEILLER VANDERSEEL...

C'EST VOUS QUI ALLEZ ÉCOUTER ! VOUS POUVEZ DIRE À VOS ALIENS D'ALLER SE FAIRE FOUTRE !

44

J'AI DES PARASITES SUR LES FRÉQUENCES SONORES...

C'EST ÉTRANGE...

COMME SI QUELQUE CHOSE LÀ-BAS INTERFÉRAIT AVEC NOS PROPRES ONDES !?

ET VOUS OSEZ VENIR ICI AVEC UNE DE CES SANDIARRS ALORS QUE NOUS AVONS COMBATTU CES ORDURES ? VOUS MÉRITERIEZ QU'ON VOUS ABATTE SUR PLACE !

N'AVANCEZ PLUS, C'EST UN CONSEIL QUE JE VOUS DONNE !

ALLONS, REPRENONS LA NÉGOCIATION, VOUS N'AVEZ RIEN À GAGNER À CE QUE TOUT CELA DÉGÉNÈRE...

CLIC

GRÉGOR ?! POURQUOI DISCUTER AVEC DES SOI-DISANT DIPLOMATES QUI NOUS MENACENT OUVERTEMENT ?

JE CROIS QUE LE CONSEILLER BEGGLER A RAISON...

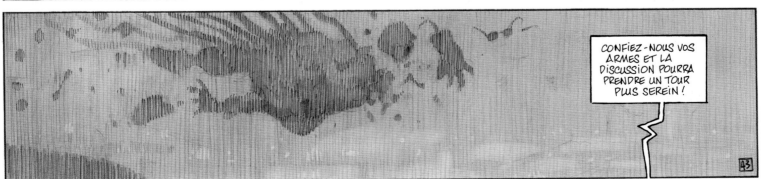

CONFIEZ-NOUS VOS ARMES ET LA DISCUSSION POURRA PRENDRE UN TOUR PLUS SEREIN !

45

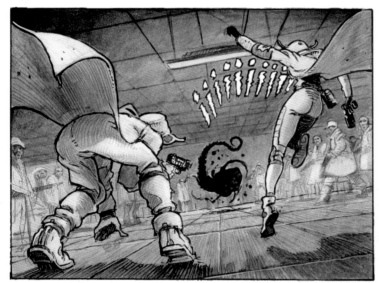

POUVEZ-VOUS NOUS EXPLIQUER CELA, CONSEILLER VANDERSEEL?

CE... CE SONT DES STILVULLS...

PRÉVENEZ LE MÉDICENTRE! IL FAUT QU'ILS S'OCCUPENT DES BLESSÉS!

CES SALOPERIES PULLULAIENT LORS DE NOTRE ARRIVÉE ET NOUS AVONS MIS PLUSIEURS MOIS À LES ÉRADIQUER, NID APRÈS NID.

NOUS PENSIONS EN ÊTRE DÉBARRASSÉS, MAIS...

GRÉGOR, NOUS N'EN AVONS PAS FINI AVEC EUX!

IL FAUT LEUR CONFISQUER LEURS ARMES!

JE CROIS QU'ILS VIENNENT DE NOUS DÉMONTRER LE CONTRAIRE, JOSH!

À L'AIDE!

DEHORS, NOUS AVONS BESOIN D'AIDE...

WILLY, OCCUPE-TOI DE LUI! LES AUTRES, TOUS AVEC MOI!

47